Here is the alphabet from a to z.
See if you can practice the shape of each letter!

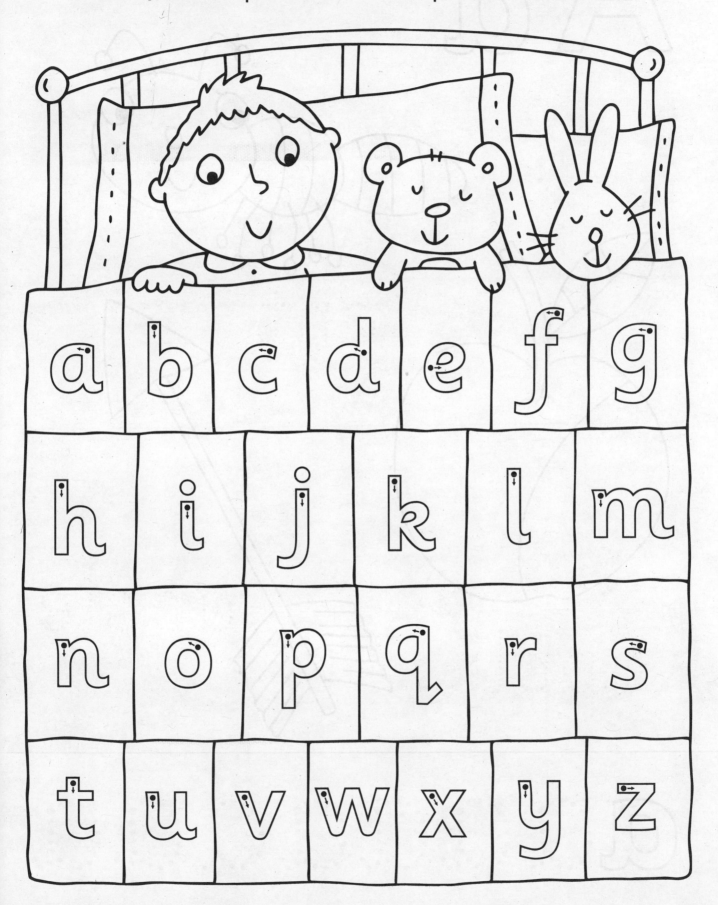

A a

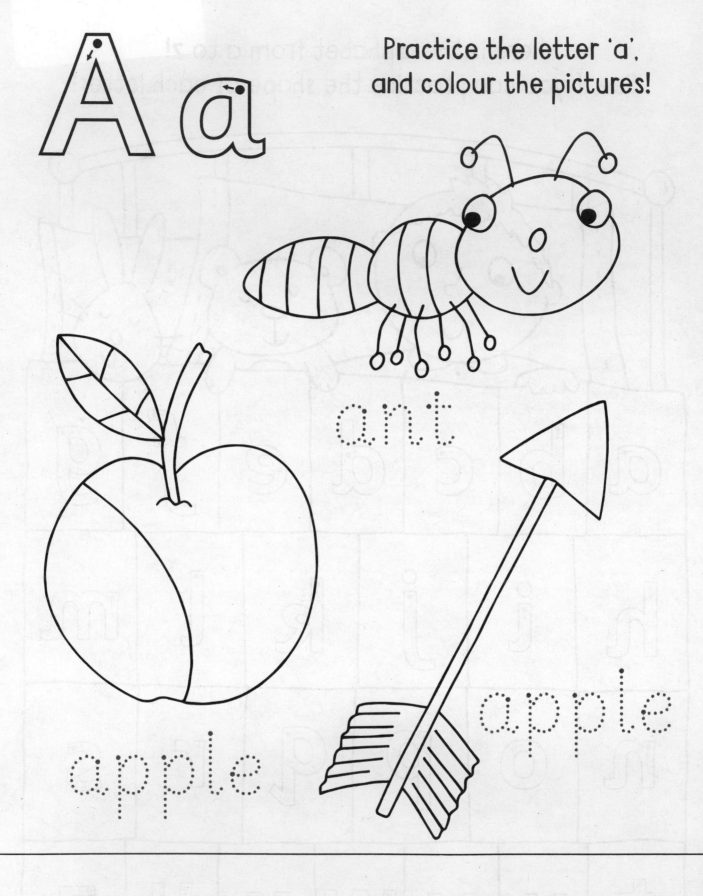

ant

apple

apple

a

Practice the letter 'b', and colour the pictures!

B b

boat

boy

bee

Colour this shape blue!

blue

b b b b b b b b b

C c C c

candle

cat

cake

car

C c c c c c c c c d

Practice the letter 'd',
and colour the pictures!

D d

duck

dog

dinosaur

d d d d d d d d d

E e

elephant

egg

envelope

e e e e e e e e e

Practice the letter 'f', and colour the pictures!

F f

flower

frog

fish

f f f f f f f f f f f f f f f f

G g

Practice the letter 'g', and colour the pictures!

girl

goat

Colour this shape green!

green

glove

g g g g g g g g g

Practice the letter 'h', and colour the pictures!

H h

horse

hat

house

h h h h h h h h h h

I i

insect

igloo

ice cream

i i i i i i i i i i i i i i i i i i

Practice the letter 'j', and colour the pictures!

J j

jug

jam

jellyfish

j i i i i i i i i i i i i

K k

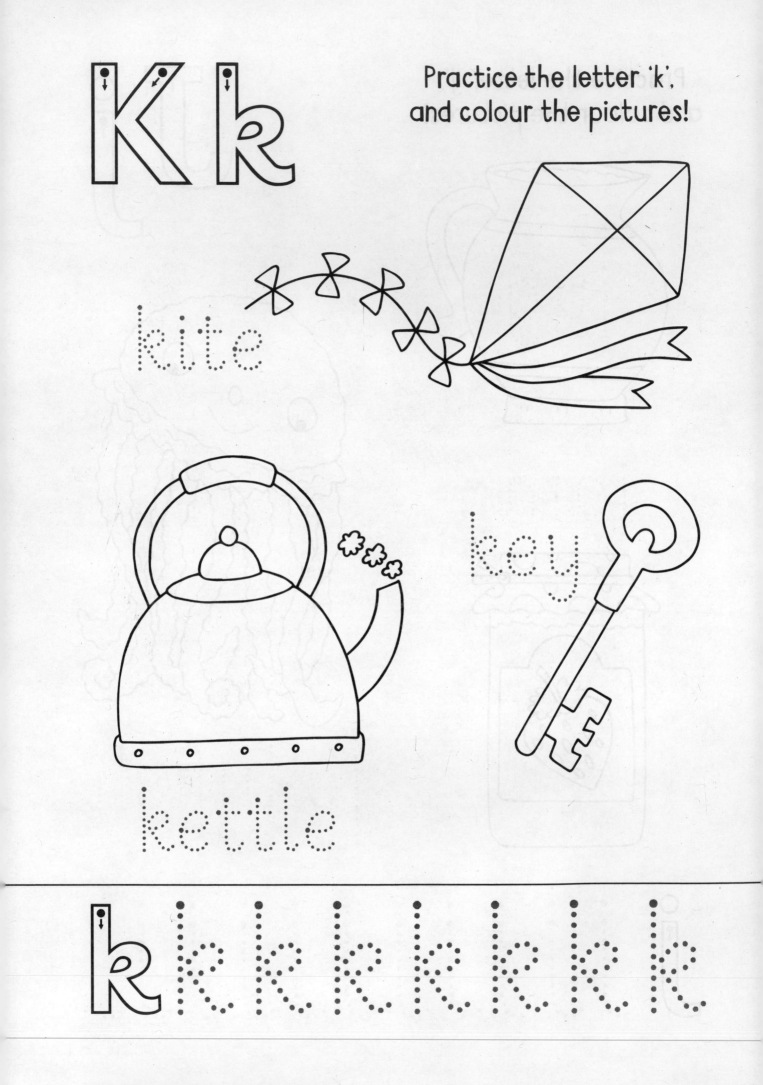

kite

kettle

key

k k k k k k k k k k k

Practice the letter 'l',
and colour the pictures!

L l

leaf

ladybird

lion

l l l l l l l l l l l l l

Mm

mouse

moon

monster

m mmmm

Practice the letter 'n', and colour the pictures!

N n

nest

net

necklace

n n n n n n n n n

O o

octopus

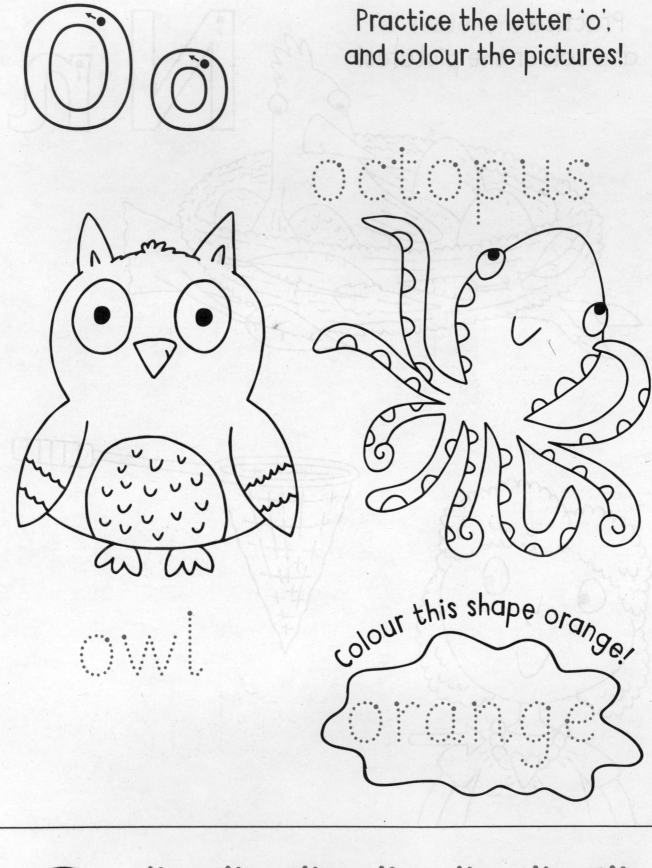

owl

Colour this shape orange!

orange

Practice the letter 'p',
and colour the pictures!

P p

pirate

pie

penguin

Colour this shape pink!

pink

p p p p p p p p

Q q

Practice the letter 'q', and colour the pictures!

queen

quilt

q qqqqqqq

Practice the letter 'r',
and colour the pictures!

robot

R r

rabbit

Colour this shape red!

red

ring

r r r r r r r r r r r r r r

S s

sun

snail

star

shoe

S S S S S S S S S

Practice the letter 't', and colour the pictures!

T t

teddy

tiger

train

t t t t t t t t t

U u

umbrella

uncle

u u u u u u u u u u

Practice the letter 'v', and colour the pictures!

Vv

violin

vase

van

v v v v v v v w

W w

Practice the letter 'w', and colour the pictures!

whale

witch

window

W

Practice the letter 'x', and colour the pictures!

X x

x-ray

xylophone

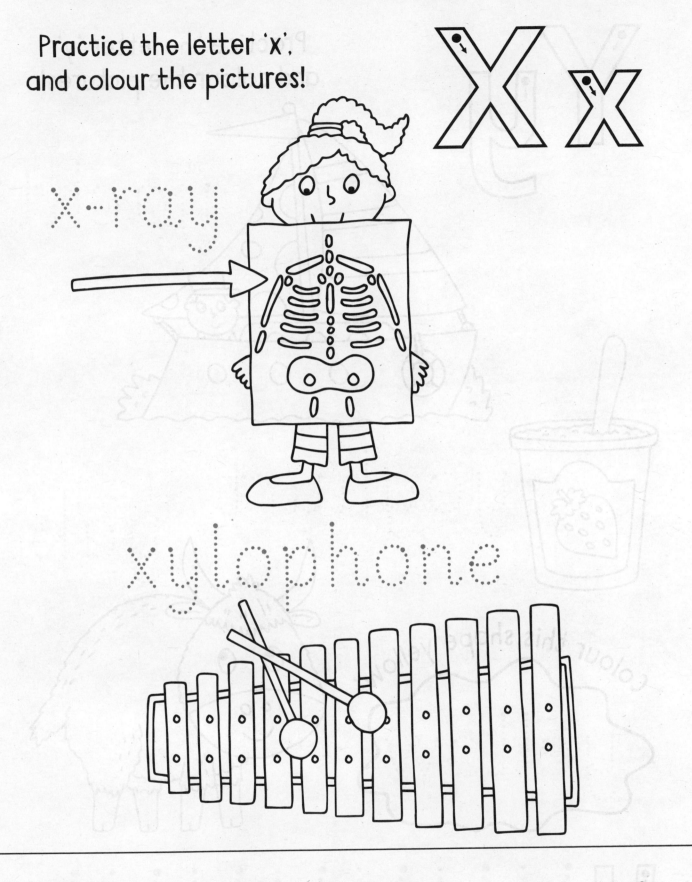

X x x x x x x x

Yy

yacht

yoghurt

yak

Colour this shape yellow!

yellow

y yyyyyyyy

Practice the letter 'z', and colour the pictures!

Z z

zip

zebra

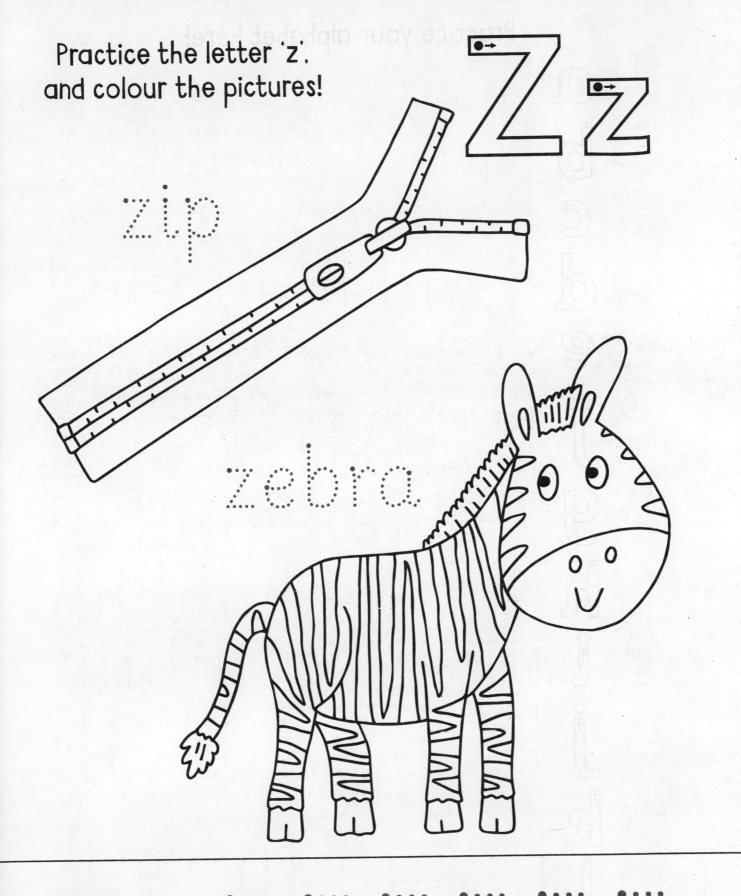

z z z z z z z z

Practice your alphabet here!

a a a a a a a a a a a a a a a a

b b b b b b b b b b b b b b b b

c c c c c c c c c c c c c c c c

d d d d d d d d d d d d d d d d

e e e e e e e e e e e e e e e e e

f f f f f f f f f f f f f f f f

g g g g g g g g g g g g g g g

h h h h h h h h h h h h h h h h h

i i i i i i i i i i i i i i i i i i i

j j j j j j j j j j j j j j

k k k k k k k k k k k k k k k

l l l l l l l l l l l l l l l l l l

m m m m m m m m m m m m

Practice your alphabet here!

n n n n n n n n n n n n

o o o o o o o o o o o o

p p p p p p p p p p p p

q q q q q q q q q q q

r r r r r r r r r r r r r

s s s s s s s s s s s s

t t t t t t t t t t t t t

u u u u u u u u u u u u

v v v v v v v v v v v v

w w w w w w w w w

x x x x x x x x x x

y y y y y y y y y y y

z z z z z z z z z z z z z

1 one

1 cake

Practice the number '1', and colour the cake!

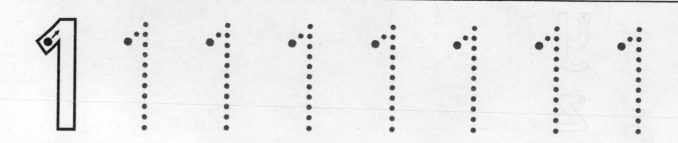

2 two

Practice the number '2', and colour the hats!

2 hats

2 2 2 2 2 2 2

3 w three

Practice the number '3', and colour the dogs!

3 dogs

3 3 3 3 3 3 3

 4 vjt  four

Practice the number '4', and colour the cats!

4 cats

4 4 4 4 4 4 4

5  five

Practice the number '5', and colour the snails!

5 snails

5 5 5 5 5 5 5

6  six

Practice the number '6', and colour the presents!

6 presents

6 6 6 6 6 6 6

7 seven

Practice the number '7', and colour the shells!

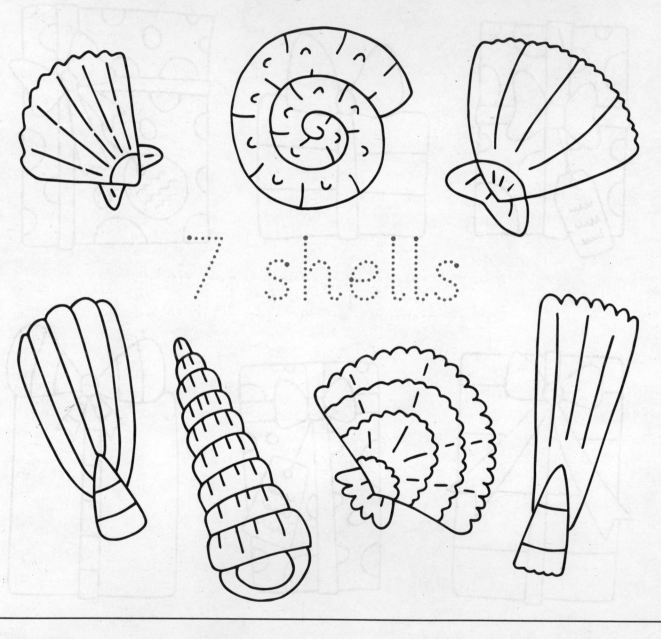

7 shells

 7

8 eight

Practice the number '8', and colour the bees!

8 bees

9 nine

Practice the number '9', and colour the flowers!

9 flowers

9 9 9 9 9 9 9

10 ten

Practice the number '10', and colour the fish!

10 fish

10 10 10 10 10 10 10